C'était
mon oncle!

tempo

ISBN : 978-2-74-851294-6
© Syros, 2006, 2013

YVES GREVET

C'était mon oncle!

SYROS

À mes parents.

1

Qui est Armand Petit?

Tous les soirs, le car me déposait à dix-sept heures trente devant le chemin qui menait à la maison. Comme je rentrais le premier, j'avais la responsabilité de vider la boîte aux lettres. Je classais ensuite son contenu sur la table. Je jetais directement les prospectus à la poubelle et je faisais ensuite trois tas : à gauche les lettres tapées à la machine, que ma mère ouvrait en faisant la grimace, au milieu les lettres écrites à la main et enfin un tas pour le journal et les revues.

Je ne pouvais être concerné que par le tas du milieu, où j'espérais chaque soir une lettre de mes cousins ou une invitation à un anniversaire. J'avais envie de sortir de chez moi car je m'y sentais seul, surtout depuis que mon grand frère Marc était en pension chez ma grand-mère à Clermont.

Nous avions quitté la ville de Clermont pour la campagne deux ans auparavant. Mes parents avaient choisi d'habiter dans une très grande maison, avec un immense terrain où ils se passionnaient pour le jardinage. Mais nous étions loin de tout : de l'école qui se trouvait dans la plaine, de l'agglomération où tous deux travaillaient.

Je m'installais à la table de la cuisine pour apprendre mes leçons. C'était un bon poste d'observation. Une large baie vitrée donnait sur la route qui serpentait et on apercevait les voitures de loin quand elles commençaient leur montée.

Le temps passait doucement. Je m'ennuyais. Je parlais souvent tout seul pour meubler le silence. Je m'inventais des tas d'amis qui s'invitaient à goûter ou à dormir à la maison. Mais c'était dans ma tête. Dans la réalité, j'attendais. J'attendais le retour de mes parents chaque soir, celui de mon frère chaque week-end, et surtout je passais les neuf mois de l'année scolaire à espérer les vacances. Les autres maisons du hameau, transformées en gîtes ruraux, accueillaient en été des familles dans lesquelles j'imaginais trouver un copain idéal.

Cette année, il n'était venu que des petits enfants coléreux et mal élevés qui m'avaient regardé comme une vache dans un pré, et deux couples de personnes âgées qui s'étaient plaintes que je faisais trop de bruit quand je jouais au foot tout seul contre le mur de la grange. J'avais bien des camarades à l'école, mais aucun n'osait s'aventurer chez nous. Mes parents étaient de la ville et nous habitions un endroit extrêmement isolé. Je regrettais notre petit appartement d'avant et je regrettais surtout Jean-Pierre, mon copain du rez-de-chaussée, avec qui j'avais été en classe depuis la maternelle.

Ce soir-là, je griffonnais une page de mon agenda avant d'attaquer mes devoirs, quand la sonnerie du téléphone retentit. Mes parents allaient-ils m'annoncer qu'ils rentreraient plus tard ou quelqu'un essaierait-il de me vendre des fenêtres à double vitrage?

– Allô, ici le commissariat central. Je voudrais parler à Jean Petit.

– C'est mon père, il n'est pas encore rentré.

– Demandez-lui de nous rappeler dès qu'il arrivera.

– C'est grave? tentai-je, un peu inquiet.

– Quelqu'un de sa famille est mort.

– Qui? demandai-je d'une voix angoissée. C'est pas ma mamie quand même…

– Non, c'est un homme. Un certain Armand Petit. Surtout, dites-lui de rappeler ce soir, même s'il rentre tard.

– Je vous le promets.

Il raccrocha.

«Armand Petit: inconnu au bataillon!» dirait mon père. La police avait dû se tromper de Jean Petit. Papa m'avait expliqué que je portais l'un des noms les plus répandus de France.

Mon père arriva. Il m'embrassa et s'assit près de moi pour regarder ce que j'avais à faire.

– Eh bien, Noé, dit-il, tu n'as pas beaucoup avancé… Tiens, tu apprends du Rimbaud? Que c'est beau, Rimbaud!

– Tu fais des rimes, papa?

– Je suis un peu poète moi aussi…

Il saisit le cahier et se mit à déclamer sur un ton d'acteur :

Par les soirs bleus d'été, j'irai dans les sentiers,
Picoté par les blés, fouler l'herbe menue :
Rêveur, j'en sentirai la fraîcheur à mes pieds.
Je laisserai le vent baigner ma tête nue.

Je ne parlerai pas, je ne penserai rien :
Mais l'amour infini me montera dans l'âme,
[...]

– J'ai appris cette poésie en sixième, au même âge que toi. Et tu vois, je la connais encore par cœur !

– Papa, je suis en CM2 ! protestai-je tout de suite.

– C'est presque pareil…

– Papa, tu dois rappeler le commissariat central. C'est sans doute une erreur. Un policier voulait te parler d'un certain Armand Petit qui est mort. Ce n'est pas quelqu'un de notre famille… Papa ?

Le visage de mon père était devenu grave et il déclara calmement :

– C'est mon frère.

– Ton frère? Il s'appelle Raymond.

– Mon autre frère. Raymond n'est pas l'aîné. Armand avait dix ans de plus que moi. Je vais rappeler tout de suite la police, puis prévenir ta grand-mère. Je t'expliquerai ensuite.

Mon père, comme promis, vint me parler avant le repas. Je compris un peu mieux pourquoi je n'avais jamais entendu parler de ce mystérieux tonton.

Tout cela remontait à bien avant ma naissance. Son grand frère avait fait comprendre à toute la famille qu'il voulait qu'on oublie jusqu'à son existence.

2

Le jour de l'enterrement

Quelques jours plus tard, nous roulions tranquillement vers Clermont quand ma mère déclara :

– Je ne crois pas que Noé soit à sa place dans ce genre de cérémonie.

– C'est mon oncle, quand même ! dis-je.

– Mais tu ne l'as jamais connu. En plus, ça te fait manquer une demi-journée d'école. C'est dommage, reprit-elle.

– La mort fait partie de notre vie. Cela ne sert à rien de revenir là-dessus, conclut mon père avec fermeté.

Je n'ajoutai rien et j'attendis calmement qu'on arrive. J'avais peur d'être obligé de voir un mort pour de vrai, mais je n'osais en parler.

Mon père trouva une place de stationnement payant. Au moment de choisir la durée, il regarda ma mère :

– Tu sais combien de temps ça dure, un enterrement ?

– Je n'y vais pas toutes les semaines, heureusement. Tu devrais mettre deux heures, suggéra-t-elle.

Devant l'entrée, trois hommes en noir attendaient en se frottant les mains. L'église était presque vide. On rejoignit la famille, qui occupait le premier rang. Il y avait la sœur et le frère de mon père : Jeanine et Raymond, et celui-ci était accompagné de sa femme Nadine. Ma grand-mère me serra dans ses bras et me fit un large sourire. J'embrassai tout le monde. J'étais le seul enfant. Mon frère, retenu au lycée pour un contrôle important, n'avait pu venir. On avait installé le cercueil devant nous, sur des tréteaux.

Au fond de l'église, deux hommes, entourés de grands sacs en plastique, occupaient un banc entier. Ils portaient de vieux vêtements tachés. L'un arborait une épaisse barbe blanche.

– Les gens au dernier rang, ce sont des clochards, maman? demandai-je sur le ton de la confidence.

– On dit plutôt des SDF, mon chéri, répondit-elle doucement. Ils sont sans doute venus chercher un peu de chaleur à l'intérieur.

– Ah oui! repris-je. On en a parlé à l'école, des sans domicile fixe. On n'en voit jamais à la campagne…

– Il y a des gens très pauvres à la campagne aussi, mais ils ont au moins un toit pour dormir et des légumes du potager quand c'est la saison.

– Chut! ça va commencer, gronda mon père.

La cérémonie fut courte. Le curé ne connaissait pas mon oncle et, quand il parla de lui, il ne donna aucun détail.

Lorsque je me dirigeai vers la porte de l'église, je regardai de plus près les hommes du fond. Ils semblaient très fatigués. Je ne parvenais pas à deviner l'âge qu'ils pouvaient avoir. Le barbu pleurait. L'autre se mit à déclamer à notre passage :

[...]

Pardon pour vous, pardon pour eux, pour le
silence
Et les mots inconsidérés,

Surprise, toute la famille hésita quelques secondes. Mon oncle semblait en colère. Ma mère me prit par le bras et essaya de m'entraîner vers la sortie. Je résistai.

– Laisse-moi écouter, s'il te plaît…

Pour les phrases venant de lèvres inconnues
Qui vous touchent de loin comme balles perdues,
Et pardon pour les fronts qui semblent oublieux[1].

Ma grand-mère, Marie-Jeanne, avait organisé un repas pour toute la famille. Assis sagement à côté de mon père, j'écoutais. À mon grand étonnement, ils ne parlaient pas du mort, ni de ce qui s'était passé pendant l'enterrement, mais de leur travail ou de leurs enfants. Je finis par demander :

– Pourquoi vous ne parlez pas d'Armand ?

1. Jules Supervielle, «Les Amis inconnus».

Il y eut un court silence, puis Raymond lança :

– Qu'est-ce qu'on pourrait en dire ? C'était un marginal et un alcoolique.

– Ne dis pas de mal des morts ! intervint ma grand-mère.

Tous les regards se tournèrent vers elle. Marie-Jeanne étouffa un sanglot et reprit :

– Noé veut savoir et c'est normal. Mon fils vivait depuis quinze ans dans la rue, comme ses copains que tu as aperçus en sortant de l'église ; mais avant, mon fils…

Elle s'interrompit pour cacher ses yeux dans sa serviette de table.

– Arrête de pleurer sur lui, répliqua mon oncle, il ne mérite pas tes larmes. Il l'avait choisie, sa vie de clochard, et sans se préoccuper de la peine qu'il causait aux gens de sa famille. C'est vrai, quoi !

Il y eut un long silence.

Mon père préféra changer de sujet. Il s'adressa à sa belle-sœur :

– Et ton père va mieux depuis son opération ?

– Oui, merci, dit-elle doucement.

Ma grand-mère avait séché ses larmes. Elle se tourna vers moi et me prit la main :

– Tu veux venir me voir pendant les vacances?

– Oh oui! j'aimerais beaucoup.

– Je vais en parler à tes parents.

3

Armand le poète

Le soir, quand mon père vint m'embrasser, je l'interrogeai :

– Pourquoi Raymond n'aimait-il pas Armand ?

– C'est plus compliqué que tu ne crois. D'abord, tu dois savoir que quand nous étions enfants, les choses étaient très différentes. Raymond admirait son frère, c'était son modèle, jusqu'au jour où notre père est mort dans un accident de voiture. J'avais dix ans et notre vie a basculé. Ma mère a dû trouver un travail et nous avons déménagé. Peu de temps après, Armand a disparu en Amérique latine. Raymond l'a très mal vécu. Il répétait qu'Armand nous avait abandonnés, que c'était un lâche qui fuyait ses responsabilités…

– Et toi, tu en as pensé quoi?

– J'étais très malheureux, je perdais d'un coup deux membres de ma famille. Et moi aussi, je lui en voulais.

– Et encore aujourd'hui?

– Non. À la différence de Raymond, quand Armand est revenu, j'ai accepté de le revoir. Je crois qu'il était très différent de nous, qu'il n'avait pas pu faire autrement quand il était parti. Ce n'est pas facile à expliquer. Après son retour, il s'est beaucoup intéressé à moi, au moins les premiers mois, et nous avons été très proches pendant cette période. Il me posait des tas de questions, sur ce que je voulais devenir, sur ce que j'aimais. Il m'attendait parfois à la sortie de la faculté et nous allions dans un café de la place du marché.

– Il travaillait, à cette époque?

– Je ne crois pas. Ma mère disait qu'il avait des économies : de l'argent qu'il avait gagné quand il était en Amérique du Sud et dans les Caraïbes.

– Il te racontait ses voyages?

– Non, il disait qu'on ne devait pas vivre dans le passé. Je me souviens qu'il était passionné de poésie. Il me donnait des livres. Il prétendait que ceux qui aiment les poètes ne se sentent jamais seuls. C'était un curieux bonhomme. Parfois, quand il me parlait, je ne savais pas s'il récitait ou si c'étaient des mots à lui. Il avait une formule qu'il répétait souvent : *Un jour Il y aura autre chose que le jour*… J'ai découvert plus tard que c'était un extrait d'un poème de Boris Vian.

– Et tu les as gardés, ses livres?

– Oui, ils sont dans un carton au grenier. Si tu en as le courage, tu peux aller les chercher.

– Est-ce que je pourrai les ranger dans ma chambre?

– Pourquoi pas. Enfin, tu verras avec maman.

Un peu plus tard, ce fut au tour de ma mère de venir me dire bonsoir.

– Alors, mon grand, commença-t-elle, tu n'as pas été trop impressionné par ce triste après-midi?

– Si. J'ai vu pleurer des adultes.

– C'était la première fois? dit-elle en me caressant la tête.

– Oui, en vrai, c'était la première. Mais ce qui m'a le plus choqué, c'est que Raymond a fait pleurer mamie.

– Ne juge pas trop vite les grandes personnes.

– Est-ce que mamie t'a parlé des vacances de Noël?

– Oui. Alors, comme ça, tu veux aller te faire chouchouter une semaine entière chez ta grand-mère, comme l'année dernière?

– L'année dernière, c'était seulement trois jours.

– Tu n'as pas peur de t'ennuyer?

– Non, mamie s'occupe bien de moi. Ici, je suis tout seul à vous attendre.

– Ton frère sera là.

– C'est vrai. Mais tu sais, pendant les vacances, il part à Mobylette chez ses copains et je ne le vois pas beaucoup. Et puis, je serai avec lui la deuxième semaine.

– Allez, dors bien. Demain, c'est mercredi, n'oublie pas d'appeler François pour rattraper le travail de l'école.

– Oui, maman. Est-ce que je pourrai aussi télé-
phoner à Jean-Pierre pour lui annoncer que je
viens bientôt une semaine à Clermont?

– D'accord, mais appelle d'abord François. Les
devoirs passent avant tout.

4

Les livres de poésie

Le lendemain, à peine habillé, je montai au grenier pour retrouver le carton d'Armand. Heureusement pour moi, mes parents avaient le sens du rangement et tout ce qui était entreposé là-haut était étiqueté. Après quelques minutes de fouilles, je tombai sur ce que je cherchais.

J'étalai ensuite les livres sur mon lit. Il y avait des noms que je connaissais : Jacques Prévert, Guillaume Apollinaire, Paul Verlaine et Jules Supervielle. Les maîtresses aimaient nous faire apprendre leurs poésies. Les autres s'appelaient Philippe Soupault, Claude Roy, Louis Aragon, René Char, Léon-Paul Fargue, Blaise Cendrars,

Paul Éluard, Pierre Reverdy, Paul-Jean Toulet, Paul Claudel, Boris Vian, Henri Michaux, Henri Pichette et Charles Ferdinand Ramuz. En tout, dix-huit livres, dont certains étaient tout minces.

Je recherchai tout de suite l'auteur évoqué par mon père : Boris Vian. Je retrouvai très vite le poème dont il m'avait parlé, car mon oncle soulignait certains passages.

> *Un jour*
> *Il y aura autre chose que le jour*
> *[...]*
> *Les heures seront différentes*
> *Pas pareilles, sans résultat*
> *Inutile de fixer maintenant*
> *Le détail précis de tout ça*
> *Une certitude subsiste : un jour*
> *Il y aura autre chose que le jour.*

Qu'est-ce que tout cela pouvait bien vouloir dire ? Est-ce que ces mots étaient aussi écrits pour des enfants de mon âge ?

Je serrai tous les ouvrages sur l'étagère au-dessus de mon lit, J'en retirai des livres pour petits que j'avais gardés depuis toujours. On ferait mieux de les donner à la bibliothèque de l'école maternelle.

Après le déjeuner, j'appelai Jean-Pierre pour lui annoncer la bonne nouvelle.

– Tu vas pouvoir venir jouer à la maison. Tu sais, j'ai eu plein de nouveaux jeux d'aventures sur ordi. Et parfois, ma mère m'autorise à utiliser Internet! lança-t-il d'emblée.

– Super! Mais j'ai surtout envie qu'on parte en ville sur les traces de mon oncle Armand.

– C'est qui, celui-là?

– Je ne le sais pas très bien moi-même. J'ai découvert son existence il y a quelques jours et c'était pour aller à son enterrement.

– Qu'est-ce que tu racontes?

– Je t'expliquerai tout la semaine prochaine.

Le vendredi qui suivit, mon frère revint de Clermont avec son sac de cours et son linge sale. Il semblait épuisé et resta un moment allongé sur son lit, les yeux dans le vague, avant de me demander de lui raconter l'enterrement.

J'énumérai les membres de la famille présents ce jour-là et je lui parlai surtout des SDF et du poème que l'un d'eux avait déclamé à notre passage.

– Ah bon? Et il disait quoi, ce poème?

– Je ne me le rappelle pas exactement. Plusieurs phrases commençaient par «Pardon, pardon», mais je ne crois pas qu'il s'excusait de quelque chose.

Je découvris que Marc en savait beaucoup sur Armand. Sur le coup, je me sentis mal à l'aise, comme exclu d'un secret. Mais je décidai de n'en rien dire. Je voulais surtout qu'il me raconte tout. Il avait découvert par hasard l'existence de mon oncle en apercevant ma grand-mère en train de déposer de la nourriture près d'un clochard. Elle lui avait tout raconté, en lui faisant promettre de n'en parler à personne. Il savait qu'Armand n'adressait jamais la parole à mamie, qu'il pouvait même être «méchant» quand il avait trop bu, que ses amis de la rue le surnommaient «la Citrouille» et qu'il traînait souvent sous un des Abribus devant la gare.

Mon frère s'approcha de mon étagère et inspecta mes nouveaux livres :

– Qu'est-ce que c'est, ces vieux bouquins? Tu veux devenir intelligent?

– Ce sont des livres de poésie qui ont appartenu à Armand. Il en a fait cadeau à papa avant de devenir clochard.

– Et tu vas les lire?

– Oui, j'ai déjà commencé.

– Moi, je trouve ça ennuyeux à mourir, les poèmes. Il n'y a pas d'histoire… et puis c'est souvent triste.

– Peut-être. Mais il y en a de drôles. L'année dernière, j'en ai appris un de Jacques Prévert, *Les Belles Familles*:

Louis I

Louis II

Louis III

Louis IV

Louis V

Louis VI

Louis VII

Louis VIII

Louis IX

Louis X (dit le Hutin)

Louis XI

Louis XII

Louis XIII

Louis XIV

Louis XV

Louis XVI

Louis XVIII

et plus personne plus rien…

qu'est-ce que c'est que ces gens-là

qui ne sont pas foutus

de compter jusqu'à vingt?

Mon frère me contempla avec un air peu convaincu:

– Bof! Ça ne me fait pas rire, conclut-il.

5

Le premier jour chez mamie

Le lundi matin, je débarquai comme prévu chez ma grand-mère. J'aimais tout chez elle. On pouvait manger en regardant la télé. Elle m'achetait tous les desserts qu'on voyait dans les publicités et je pouvais en prendre deux à la suite. Le soir, j'éteignais la lumière quand j'en avais envie. Quand ma grand-mère se reposait l'après-midi, j'avais la permission de faire un tour dans le quartier. Et puis j'étais sûr qu'on irait au moins une fois au cinéma.

La première journée, on fit des courses en ville et, en rentrant, j'appelai mon copain. On se fixa rendez-vous chez lui pour le lendemain à quatorze heures. Après le repas, ma grand-mère sortit une boîte en fer qui avait dû contenir autrefois des gâteaux. Elle renfermait des photos en noir et blanc et quelques lettres.

– J'ai pensé à toi, commença-t-elle, j'ai classé quelques photos d'Armand. Tu vas voir à quoi il ressemblait.

– Cela ne te fait pas trop de peine de regarder tout ça, maintenant qu'il est mort?

– Je vais te parler comme à un grand car je suis sûre que tu comprendras. Je vais être moins inquiète maintenant. Tu sais, je pensais tout le temps à lui. J'avais sans cesse peur qu'il lui arrive quelque chose de grave, qu'il soit agressé ou blessé dans un accident. Là où il est aujourd'hui, il se repose. Je l'ai toujours aimé et je l'aimerai toujours. Cela me fait plaisir que tu t'intéresses à lui.

Elle me tendit le portrait d'un enfant de mon âge.

– Regarde, c'est tout lui, ça. Ses yeux regardent ailleurs, il est dans ses rêves.

– Il était drôlement bien habillé!

– Il était en habits du dimanche. C'est comme cela qu'on disait. Les filles mettaient leur plus belle robe et les garçons, une cravate ou un nœud papillon pour imiter leur papa.

Je cherchai une ressemblance avec moi, mais je n'en trouvai pas. Cela venait peut-être aussi de la curieuse coiffure qu'il avait.

– C'est quoi, cette coupe de cheveux?

– Tous les garçons étaient peignés comme ça, avec une raie sur le côté.

– Demain matin, je vais essayer, dis-je en rigolant.

– Voici une photo de lui en uniforme. C'était pendant son service militaire. Il était marin.

– Il était beau.

– Très beau, et il plaisait beaucoup aux jeunes filles. Tiens, admire ce couple. Cette photo a été prise à Bogotá, en Colombie. La jeune femme qui lui sourit tendrement est sa femme. Elle s'appelait Consuela.

– On dirait une star de cinéma.

– Elle était danseuse. Il paraît qu'elle était très connue dans son pays. Ils ont vécu trois ans ensemble. Il m'avait envoyé cette lettre avec la photo.

Bogotá, le 12 janvier 1975

Chère maman,

Bon anniversaire et tous mes vœux de bonheur à toi et à mes petits frères. Je me suis marié.

Je ne trouve pas de mots pour te parler d'elle.
Je t'envoie ces quelques vers de Paul Éluard et
tu comprendras.

Je t'embrasse.

Armand

[…]
Elle a toujours les yeux ouverts
Et ne me laisse pas dormir.
Ses rêves en pleine lumière
Font s'évaporer les soleils,
Me font rire, pleurer et rire,
Parler sans avoir rien à dire.

Je restai un moment silencieux. C'était si beau !
Mais je n'aurais pas pu expliquer pourquoi. Il exa-
gérait, le poète : rien ne peut faire s'évaporer le
soleil et personne n'a les yeux toujours ouverts.
Ce que je comprenais, c'est qu'il l'aimait comme

un fou et qu'il n'en avait rien à faire, de dire des choses impossibles. Pour lui, elles étaient vraies. Je rendis la lettre à ma grand-mère qui me regardait avec des yeux mouillés.

– Tu as été touché par ce poème. Tu es sensible. Comme Armand. C'est une qualité.

– Tu sais, papa m'a donné des livres de poésie que lui avait offerts son frère. J'ai commencé à les lire.

Elle m'embrassa et me souhaita bonne nuit. Elle souriait de nouveau.

6

Jean-Pierre, mon meilleur ami

Le lendemain après-midi, je rejoignis Jean-Pierre chez lui. Je le mis au courant de ce que je savais sur mon oncle disparu.

– Tu veux quoi? Qu'on aille discuter avec des SDF? Mais ils vont nous envoyer balader. La plupart du temps, ils dorment ou ils sont saouls. Et puis je vais te dire un truc: ça me fait un peu peur de les approcher. Je les entends souvent crier. J'en ai même vu deux qui se battaient un jour dans un parking.

– Je ne suis pas tranquille non plus. Mais maintenant que je sais qu'il y en avait un dans ma propre famille, je me dis qu'ils ne doivent pas être différents de nous. Certains doivent être plus gentils que d'autres.

— Tu crois? dit Jean-Pierre, dubitatif. Après tout, on verra bien. Tu sais où les trouver?

— Mon frère m'a dit qu'il avait vu Armand vers la gare, il y a un mois environ.

— Bien, alors allons-y tout de suite, et c'est toi qui parles.

— Bien sûr.

J'avais envie de lui dire qu'il pouvait m'attendre chez lui, mais, au fond de moi, j'étais rassuré qu'il soit là.

Nous gagnâmes la gare en moins de dix minutes. Il n'y avait pas de clochards sous l'Abribus. Nous entrâmes dans le bâtiment et, là, je reconnus les deux hommes qui étaient à l'église le jour de l'enterrement. L'un était assis tout seul sur un banc rouge et l'autre parlait avec une jeune fille près du kiosque à journaux. Je n'arrivais pas, de là où j'étais, à comprendre ce qu'il disait, mais je sentais qu'elle était mal à l'aise. Elle finit par lui donner une pièce qu'il regarda sans sourire.

Je pris mon courage à deux mains et m'adressai à celui qui était assis :

– Bonjour, monsieur. Excusez-moi de vous déranger. Est-ce que je peux vous parler, s'il vous plaît?

L'homme assis ne me répondit pas. Il me regardait fixement.

L'autre fit quelques pas dans notre direction et cria :

– Qu'est-ce que t'as, petit? Viens pas importuner monsieur Yoyo!

– Je… je suis de la famille de… commençai-je.

– De la Citrouille. Je te reconnais. T'étais à l'église. Qu'est-ce que tu veux? reprit-il.

– Je voudrais que…

– Tu n'as pas apporté une petite pièce aux vieux copains de ton tonton? Tu vois bien qu'on n'a rien à boire.

– Non, désolé. Est-ce que vous pourriez me parler de mon oncle?

– Pas maintenant, coco. Tu vois bien que je travaille.

Il tourna la tête et repartit dans l'autre sens. Jean-Pierre me tira par la manche.

– Viens, rentrons! me glissa-t-il.

Je ne savais pas quoi faire. Je restais planté là à les regarder, indifférent à ce que me disait mon copain.

– Allez, on reviendra. Aujourd'hui, il n'y a rien à en tirer.

Je finis par me laisser faire et tournai les talons.

Sur le chemin du retour, je ne desserrai pas les dents. C'était raté.

Jean-Pierre m'invita à prendre un chocolat chaud chez lui. Il rompit le silence le premier :

– Tu n'as rien à te reprocher. Aujourd'hui, l'un était comme une statue, et l'autre très agressif. Tu as entendu… il voulait de l'argent.

– Oui, il me faisait peur. En même temps, je repensais à l'enterrement, c'était un ami de mon oncle. Il ne doit pas être complètement méchant.

– Ma mère dit que c'est l'alcool qui rend les gens idiots ou violents quand ils en boivent trop.

– On devrait essayer d'y aller le matin. Au réveil, ils doivent être plus disponibles.

Jean-Pierre semblait réfléchir et finit par demander :

– Et pourquoi tu ne laisserais pas tomber?
On ne va quand même pas gâcher nos vacances
à se faire insulter ou racketter par des poivrots
alors qu'on pourrait s'amuser à l'ordi!

– Je te comprends, répondis-je, un peu déçu.
Si tu veux, demain, j'irai tout seul. Bon, à quoi on
joue maintenant?

Jean-Pierre retrouva le sourire et se leva.

– Allez, suis-moi. On va jouer à un jeu mortel
sur Internet.

– Je vais d'abord te regarder. Je n'ai jamais joué
en réseau. À la maison, la seule activité autorisée
sur l'ordinateur, c'est la recherche de documents
pour la classe.

– Alors, commença Jean-Pierre, une fois que
tu es connecté, tu écris ton pseudo. Moi, je tape
«KillKill».

– Et ça veut dire quoi?

– Un truc comme «tueur fou». Ensuite, je me
retrouve dans une ville, sans arme et sans véhi-
cule. Alors, je dois d'abord voler une moto ou une
voiture et agresser un policier ou un bandit pour
lui prendre son arme.

Je regardai mon copain qui souriait. Il était dans son jeu et je ne comptais plus.

De retour chez ma grand-mère, je tournais, sans les lire, les pages du journal.

– Tu as l'air bien songeur, Noé. Quelque chose te tracasse? me demanda mamie.

– Je me rends compte que Jean-Pierre a beaucoup changé. Il joue des heures à tuer des gens dans un jeu vidéo.

– Et toi, cela ne te plaît pas?

– J'ai essayé un quart d'heure, mais c'est toujours la même chose, et puis, pendant ce temps, on ne discute pas beaucoup. En plus, il se fait appeler «tueur».

– Qu'est-ce que tu veux dire?

– Pour jouer en réseau, il faut que tu donnes un nom ou un pseudo, et lui il a choisi «KillKill» ou un truc comme ça.

Après un court silence, ma grand-mère prit une expression grave et déclara:

– Tu vas t'apercevoir, Noé, que le temps sépare souvent les amis. Chacun évolue et prend son propre chemin.

– Tu veux dire que bientôt Jean-Pierre et moi nous ne serons plus amis?

– Sans doute. C'est triste, parfois, la vie. Mais en même temps, chacun de votre côté, vous en aurez de nouveaux.

Au moment d'éteindre la lumière, j'eus envie de me plonger dans un des livres d'Armand, peut-être pour y trouver du réconfort.

J'en saisis un au hasard, parmi ceux que j'avais emportés, et je cherchai un passage que mon oncle avait souligné. Je tombai sur la fin d'une poésie de Léon-Paul Fargue:

> [...]
> *Comme la vie fait souffrir,*
> *Sans reproche, sans mot dire,*
> *Pour un rien, pour le plaisir...*

Mamie avait raison: c'est triste, la vie, certains soirs.

7

Demain est un autre jour

Le matin, au petit déjeuner, j'interrogeai ma grand-mère :

– C'est quoi, le programme, aujourd'hui?

– Ce matin, je vais chez le coiffeur vers onze heures. Cet après-midi, nous irons au cimetière. Ils ont fini de mettre en place la pierre tombale d'Armand.

– Je vais aller faire un tour dans Clermont.

– Tu ne verras pas Jean-Pierre aujourd'hui?

Je ne répondis pas et j'entrai dans la salle de bains. J'étais sous la douche quand j'entendis sonner le téléphone.

Ma grand-mère cria derrière la porte :

– C'est Jean-Pierre, il arrive.

– OK, mamie, j'en ai pour trente secondes.

– Dis, je n'avais pas compris que tu voyais Jean-Pierre aujourd'hui…

– Tu sais, entre amis, on n'a pas besoin de prendre rendez-vous. Je vais aller à sa rencontre.

– Prends tes clefs. C'est parfois long, le coiffeur.

JP était en bas de l'escalier. Il me serra vigoureusement la main.

– Prêt pour l'opération Armand! dit-il.

– Je te remercie d'être venu.

– Tu croyais que j'allais te laisser y aller tout seul, peut-être?

Je souris et répondis:

– J'ai pris de quoi leur acheter une baguette. Qu'est-ce que t'en penses?

– Je ne sais pas trop. Enfin, s'ils n'en veulent pas, on pourra la manger.

Je les aperçus bientôt sous l'Abribus. Ils étaient trois et il y avait deux petits chiens avec eux. Je m'approchai. L'un des chiens vint me renifler.

– Ah, t'es revenu ? lança celui que j'avais vu mendier la veille. Je vous présente le petit neveu de la Citrouille !

Les deux autres me regardèrent sans exprimer la moindre émotion. Le premier reprit :

– Elle est pour nous, ta baguette ? Tu sais qu'on préfère le pinard !

Celui qu'il avait appelé Yoyo la fois précédente intervint en criant :

– Sois gentil avec lui ! Il n'est pas méchant, ce gosse !

Puis, se tournant vers moi, il prit une voix plus douce :

– Viens t'asseoir à côté de moi et dis à ton copain qu'on ne va pas le manger. Je m'appelle Yoyo. Toi, c'est comment ?

– Moi, c'est Noé et lui, Jean-Pierre.

– Tu es triste qu'il soit mort, la Citrouille ? me glissa-t-il.

– Oui... même si je n'ai appris son existence que quelques jours avant son enterrement...

– C'était le maudit de la famille ?

– Je ne sais pas... Ma grand-mère l'aimait beaucoup et était très malheureuse qu'il se soit éloigné d'elle. Mon père aussi avait été proche de lui avant qu'il ne vive dans la rue.

– Et toi? Qu'est-ce que tu penses de tout ça?

– Moi, j'ai envie d'apprendre des choses sur lui. J'ai lu une lettre qu'il avait envoyée autrefois, quand il voyageait. C'était très beau, avec plein de poésies…

– La Citrouille, déclara-t-il en détachant bien ses mots, c'était un monsieur. Il en savait, des trucs! Il avait le même regard doux que toi.

– Hé, Yoyo… faut qu'on se bouge! interrompit l'autre.

– Déjà, mon Riton?

– Je reviendrai peut-être demain, dis-je.

– Tu me trouveras à la gare, sauf si on se fait jeter comme ce matin.

– Je m'en vais.

– Qu'est-ce que tu dis?

– Je m'en vais, répétai-je.

– *Au vent mauvais*, reprit le dénommé Riton avec emphase, *Qui m'emporte Deçà, delà, Pareil à la Feuille morte*[1]. Eh, Yoyo, t'as vu que moi aussi, j'en connais, comme la Citrouille?

1. Paul Verlaine, «Chanson d'automne».

– Ils sont bizarres mais plutôt gentils. Tu ne trouves pas? demandai-je à mon ami dès que nous nous fûmes éloignés.

– J'avais du mal à comprendre ce qu'ils disaient, et puis je n'aime pas ce Riton, précisa Jean-Pierre.

– Moi non plus.

– Tu as le temps de venir jouer à l'ordi?

– Oui, il est encore tôt. Ma grand-mère est chez le coiffeur. Je ne suis vraiment pas pressé.

– Parfait. Alors, je vais te montrer un nouveau jeu. On va lutter contre la mafia interstellaire avec des armes de ninjas.

– Si tu veux…

Deux heures plus tard, je retrouvai ma grand-mère avec une coiffure aux reflets bleutés qui m'étonna.

– Ça ne te plaît pas? questionna-t-elle. Avec cette coiffeuse, j'ai toujours des surprises, mais c'est parfois amusant, les surprises.

– Oui, oui, acquiesçai-je.

– Et toi, ta promenade? Vous êtes allés où?

– Vers la gare. Et puis on a joué à un jeu d'aventures sur l'ordinateur de Jean-Pierre.

L'après-midi, j'accompagnai ma grand-mère au cimetière. Elle fut très satisfaite du travail des ouvriers :

– Tout est exactement comme je le voulais, déclara-t-elle.

Elle resta quelques instants silencieuse, puis elle reprit :

– J'ai fait préparer une place pour moi à côté de lui, pour quand viendra mon tour.

– Ce n'est pas pour tout de suite, mamie, dis-je en l'embrassant.

À ce moment-là, je sortis un recueil de Pierre Reverdy de la poche de mon blouson.

– Mamie, j'ai envie de lui lire un poème.

Je regardai ma grand-mère qui ne dit rien, mais, à ses yeux embués, je compris qu'elle était touchée par mon idée.

Je commençai d'une voix émue :

> *[...]*
> *Rappelle-toi le temps où nous allions ensemble*
> *Nous marchions dans les rues entre les maisons*

Et sur la route au milieu des buissons
Parfois le vent nous rendait muets
Parfois la pluie nous aveuglait
Tu chantais au soleil
Et la neige me rendait gai
[...]

Ma grand-mère me prit la main et nous rentrâmes à l'appartement.

Le soir, à la fin du dîner, je repris mes questions :

– Marc m'a raconté qu'Armand était parfois méchant avec toi quand tu allais le voir dans la rue. Pourquoi, à ton avis ?

– Il devait être saoul. Et puis il avait peut-être honte de son état. Je lui rappelais son passé et ça le rendait triste. En fait, je ne sais pas exactement. Mais, même dans cet état, je n'aurais jamais abandonné mon fils. Je le nourrissais plusieurs fois par semaine, lui comme sa bande, d'ailleurs.

– Je voulais aussi te demander, mamie… Comme il fait très froid en ce moment… est-ce qu'on ne pourrait pas apporter quelque chose aux copains d'Armand ? Je ne sais pas, moi… des vieux vêtements ou de la soupe ? Surtout que ça va être Noël.

– C'est bien que tu te soucies d'eux. Moi, depuis quelques jours, je ne pense plus qu'à Armand. Je vais y réfléchir.

– Est-ce qu'il reste des lettres de lui que je n'ai pas lues?

– Oui, sans doute quelques-unes. Tu as vu où je rangeais la boîte. Tu peux fouiller dedans.

12 janvier 1976
Au bord de l'océan, en Colombie

Bon anniversaire, maman. Embrasse Jean et Raymond de ma part. Avec Consuela, nous faisons des projets. Je t'écris depuis un lieu secret et magnifique.

À bientôt.

Armand

le monde est si beau qu'il faut poster ici que lqu'un qui du matin au soir soit capable de ne pas remue

Ah   *r*

C'est du Claudel.

54

[...]
Voici les flamants de l'aurore
Qui font leur nid dans la lumière
Avec la soie de l'horizon
Et le vent doré de leurs ailes.

Et ça, c'est de Supervielle.

Saint-Domingue
Le 10 janvier 1977

Bon anniversaire. Nous visitons les Grandes Antilles. Consuela porte le fruit de notre amour… J'ai envie de lui dédier tous les poèmes du monde. À bientôt.

Armand

Ce jour-là, quand je t'ai vue,
j'étais comme quand on regarde le soleil ;
j'avais un grand feu dans la tête,
je ne savais plus ce que je faisais,
j'allais tout de travers comme un qui a trop bu,
et mes mains tremblaient. [...]

Charles Ferdinand Ramuz

Il ne restait que trois autres lettres. Il y avait un trou de plusieurs années. Je rejoignis ma grand-mère qui lisait son journal.

– J'ai lu la lettre où il annonce que Consuela est enceinte. Il manque les suivantes. J'aimerais bien les lire dans l'ordre.

Ma grand-mère releva la tête et déclara :

– Il n'y a pas eu de lettres pendant longtemps. J'ai écrit à l'ambassade de France en Colombie pour savoir si mon fils était toujours vivant. Ils m'ont répondu qu'il avait quitté le pays en 1980, après avoir vendu son commerce de café.

– Il vendait du café dans une boutique?

– Non, il était ce qu'on appelle un exportateur. Il achetait du café à des cultivateurs et il le revendait à des marchands en Europe.

– Et Consuela?

– J'ai appris dans la même lettre que Consuela était morte dans un accident d'autobus et que l'enfant qu'elle portait était mort aussi.

– Oh! c'est horrible. Il avait l'air tellement heureux. Est-ce qu'ils te disaient où il était parti?

– Non, ils n'en savaient rien. J'ai de nouveau

eu de ses nouvelles à partir de 1983. Il vivait à la Jamaïque. Il réparait des bateaux.

– Il savait faire ça?

– Dans la marine, il travaillait aux machines. Je pense que c'est là qu'il a appris son métier.

Ma grand-mère regarda sa montre :

– Tu devrais te coucher. Demain, j'aurai besoin de toi pour aller au marché. Il faut qu'on commence à préparer le réveillon. L'après-midi, si tu veux, nous irons voir le dernier James Bond. Jean-Pierre pourra nous accompagner.

– D'accord, mamie.

La journée avait été riche en émotions et je n'eus pas besoin d'un poème pour m'endormir.

8

Des projets pour Noël

Le marché… quelle barbe! Mais ma grand-mère avait l'air si contente d'y aller avec moi… Tandis que nous descendions les escaliers, je me répétais que j'allais survivre aux interminables discussions avec ses anciennes copines de classe ou ex-collègues d'usine. Je savais que je serais scruté de la tête aux pieds et comparé à des enfants dont je n'avais jamais entendu parler: «Il est plus grand que mon Jérôme. Oh oui! bien plus grand…»

Parfois, je serais même obligé de faire des bisous à ses amies. Il y en avait une que je craignais particulièrement car elle me pinçait violemment les joues avant de m'embrasser le front.

– C'est affectueux! m'avait assuré ma grand-mère un jour où je me plaignais.

L'expédition au marché fut moins pénible que prévu. Les gens étaient pressés, parce qu'il faisait un froid de canard. Je tapais du pied pour me réchauffer les orteils. Soudain, je pensai à Yoyo. Où était-il à cette heure-ci? À l'abri et bien réveillé, ou endormi n'importe où et gelé sur un trottoir? Je savais que chaque année des SDF mouraient de froid dans les grandes villes de France.

Une fois rentré à l'appartement, j'appelai Jean-Pierre pour lui proposer le cinéma. Mais il avait déjà vu le dernier James Bond. Il me promit de passer juste après, au moment du goûter.

Ma grand-mère adora le film. Enfin, c'est ce qu'elle me dit en sortant. Peut-être était-ce pour me faire plaisir. Moi, j'avais préféré celui de l'année précédente, mais je ne voulus pas la contredire. Je ne pouvais m'empêcher de penser à notre discussion de l'avant-veille: je changeais et tout changeait autour de moi. Ce que je considérais comme acquis: mes goûts, mes amitiés, tout allait disparaître ou se transformer.

Vers dix-sept heures, Jean-Pierre sonna. Il avait déjà goûté mais s'assit à la table.

– Alors, que fais-tu pour le réveillon de Noël? lui demanda ma grand-mère.

– Nous allons chez mon oncle en pleine campagne et nous dormons tous là-bas. Je retrouverai tous mes cousins, ça sera très sympa. Et vous?

– Nous allons préparer le repas du 25. Mes parents et Marc nous rejoindront pour midi, précisai-je.

– Et le 24 au soir? Vous ne réveillonnerez pas?

– Nous irons à la messe de minuit, déclara ma grand-mère.

– Ah bon? Je ne savais pas! dis-je, surpris.

– Si tu ne veux pas y aller, tu resteras devant la télé. Je ne t'obligerai pas.

– J'irai avec toi. Je ne vais pas te laisser marcher la nuit toute seule dans les rues de Clermont.

J'entraînai mon ami dans la chambre.

– Tu veux voir à quoi il ressemblait?

– Qui? demanda-t-il.

– Armand.

– Je plaisantais… Tu ne penses qu'à lui du matin au soir.

– C'est vrai.

– Pourquoi l'aimes-tu? Tu ne l'as même pas connu.

– Je le connais grâce aux photos et aux lettres qu'il écrivait chaque année à ma grand-mère, grâce aussi à ses livres de poésie.

– *Ses* livres de poésie? Ils étaient écrits par d'autres!

– Il les avait choisis.

– Plein de gens ont les mêmes.

– Oui, mais lui soulignait certains passages, sans doute parce qu'il ressentait les mêmes choses que ceux qui les avaient écrits.

Jean-Pierre n'avait pas l'air convaincu. Il demanda :

– Alors, cette photo?

Je lui présentai celle où Armand posait avec Consuela.

– Pfuitt! Quel canon!

– C'était sa femme. Lui vendait du café en Colombie.

– Comme dans les pubs. Il devait porter un chapeau blanc et un pistolet à son ceinturon…

– Sans doute.

– À quoi ça te sert de faire tout ça?

Après un court silence, je me lançai sans trop savoir ce que j'allais dire :

– D'abord, je veux le défendre. Je suis dans son camp avec mamie et mon père, contre Raymond et ceux qui pensent qu'il n'était qu'un clochard alcoolique. Ensuite, il paraît que je lui ressemble. Ma grand-mère dit que j'ai un peu son caractère. Elle dit que je suis sensible comme lui. Je crois aussi que je suis un solitaire.

– Toi, tu n'es pas un solitaire !

– Si, je suis souvent tout seul.

– Mais ce n'est pas ça, être solitaire. Un solitaire choisit de l'être. C'est dans son caractère. Toi, tu t'ennuies tout seul.

– C'est vrai, avouai-je, je déteste être seul. Je rêverais qu'un copain s'invite à la maison pendant les vacances…

– Ça te dirait que je vienne?

– Toi? Tu voudrais?

– Bien sûr, je suis certain que j'apprécierais l'espace et l'air pur. Faudrait seulement en parler à mes parents.

– Ce serait génial!

– Pour revenir à ton oncle, c'est triste de finir comme lui. Quand on a des problèmes, il ne faut pas rester dans son coin, il faut en parler aux autres, accepter de se faire aider.

– Tu as sans doute raison, répondis-je.

– Bon, je dois y aller. On se revoit quand? Tu seras encore à Clermont dimanche soir?

– Oui.

– Si tu veux, je passerai dans l'après-midi. Salut et bon réveillon!

– Joyeuses fêtes! Salut.

Je retournai fouiller dans la boîte. J'en sortis les trois lettres que je n'avais pas encore lues et je les classai chronologiquement.

Montego Bay, Jamaïque
3 mai 1983

Que t'écrire? Que je ne t'oublie pas, maman. Je suis en vie et rien de plus. Je ne suis pas guéri. J'ai l'impression de n'être jamais sorti d'un mauvais cauchemar. Je pense à elle tout le temps. Je suis sûr que je serais mort sans «mes poètes».

Armand

Un temps rien de plus beau ne me fut que d'aymer
Et nourrir en aymant nos conjugales flammes ;
Mais depuis que la Mort a divisé les trames
Des fils de nostre vie, aymer ne m'est qu'amer.
[...]

Pierre de Brach

Montego Bay, Jamaïque
13 septembre 1984

Je suis toujours content d'avoir des nouvelles de Clermont. Un jour, peut-être, je reviendrai. J'ai envie de retrouver mes frères, de voir quel chemin ils prennent à l'âge adulte.

Armand

[...]

Il m'arrivait de n'en pouvoir plus, et d'âprement dormir.

Peut-être qu'en dormant on s'entraîne à mourir?

À moins que l'on ne dorme en mémoire des morts?

[...]

Henri Pichette

Montego Bay, Jamaïque
15 octobre 1985

Je vais revenir à Clermont, où l'horizon est fermé par les montagnes. J'ai besoin de ressentir le froid de l'hiver, d'être entouré de ses monuments lourds en pierre noire. Je ne suis plus à ma place ici. Tout me rappelle trop Consuela et mon bonheur passé.

[...]
C'était au début d'adorables années
La terre nous aimait un peu je me souviens.
[...]

René Char

Quand je viendrai te voir, maman, ne me pose pas trop de questions.

Armand

[...]

Et si, cherchant le salut dans la fuite, vos jambes et vos reins se fendent comme du pain rassis, et que chaque mouvement les rompe de plus en plus, de plus en plus. Comment s'en tirer maintenant? Comment s'en tirer?

Henri Michaux

J'éteignis la lumière en imaginant ce qu'il avait pu raconter à ma grand-mère.

9

Le réveillon dans la rue

Depuis toujours, le 24 décembre avait été mon jour préféré, celui des préparatifs, des espoirs de Noël. Maintenant, j'étais plus vieux et mon attente était plus sereine.

Je feuilletais un recueil de René Char en attendant le réveil de ma grand-mère. Comme je l'avais dit à mon copain, j'avais l'impression que chaque passage souligné était une pièce d'un puzzle intitulé *Armand*. Je retrouvai bientôt les deux vers que j'avais lus la veille dans sa dernière lettre :

C'était au début d'adorables années
La terre nous aimait un peu je me souviens.

Un peu plus loin, je découvris un autre morceau choisi :

Il n'y a plus de ligne droite ni de route éclairée avec un être qui nous a quittés. [...]

J'entendis la voix énergique de mamie :

– Noé, on a du pain sur la planche ! Ne traîne pas au lit.

– J'arrive.

– Alors, bien dormi ? lança-t-elle, comme je m'asseyais en face d'elle.

– Oui, le bruit des voitures me berce. J'étais réveillé depuis un moment. J'attendais un signal de ta part.

– Tu sais, reprit-elle, ce matin, on doit acheter les ingrédients du repas de demain, et puis je veux qu'on lui donne un air de fête, à cet appartement. On va accrocher des décorations. Tu es d'accord ?

– Oui, acquiesçai-je.

Je n'osais pas parler de ce qui me paraissait le plus important, c'est-à-dire des copains d'Armand.

Ma grand-mère me regarda. Je devais avoir un air soucieux.

– J'ai oublié quelque chose?

– Les copains d'Armand… Tu avais dit que tu allais y réfléchir. Alors, c'est non?

– C'est oui, bien sûr, on va s'occuper d'eux.

– Tu sais, j'ai lu ses dernières lettres. Il annonçait son retour. Tu devais être très heureuse de le revoir.

– Oui, mais je l'ai trouvé changé. Vieilli, bien entendu, ça c'est normal. Mais aussi amaigri et triste. Et puis il n'a rien voulu raconter. Il m'a dit qu'il trouverait une chambre en ville, qu'il avait suffisamment d'argent pour voir venir pendant quelques mois.

– Il est venu souvent chez toi?

– Au début, presque une fois par semaine. Mais petit à petit, ses visites se sont espacées. Les deux dernières fois, il sentait l'alcool. Je l'ai sermonné. C'est normal, j'avais peur pour lui. Je lui ai dit de trouver un travail.

– Et alors?

– C'est la dernière fois que je l'ai vu chez moi. Plusieurs mois plus tard, je l'ai aperçu sous un

Abribus, entouré de clochards. Je lui ai parlé et j'ai eu l'impression qu'il ne me reconnaissait pas.

Elle se frotta rapidement l'œil droit, puis se leva.

– Allez, debout! Va prendre ta douche.

Ma grand-mère m'entraîna au rayon «Homme» du supermarché. Elle me plaqua un grand pull bleu marine sur les épaules.

– C'est bien, ça. Tu es d'accord? Le bleu, ça va avec tout, et ce n'est pas trop salissant. Je vais prendre les deux mêmes, comme ça il n'y aura pas de jaloux.

– Si tu veux, mamie, répondis-je en souriant.

Au rayon «Alimentation», elle acheta tous les produits en double.

– Tu vois, déclara-t-elle, ils mangeront la même chose que nous: du saumon, du foie gras arrosé d'un peu de champagne.

– Mais tu vas te ruiner, mamie! Si tu veux, je te donnerai une partie de mon argent de poche.

– Tu es trop mignon! Ne t'inquiète pas. Si je le fais, c'est que je peux le faire, et puis, Noël, ce n'est qu'une fois par an.

L'après-midi, j'installai la crèche et je grimpai sur l'escabeau pour accrocher des guirlandes. Mamie ressortit son sapin en plastique d'un carton fatigué et le posa sur une petite table près de la télé.

Ma mère appela vers dix-neuf heures pour prendre de mes nouvelles.

– Ce sont les plus belles vacances de ma vie. Avec mamie et Jean-Pierre, je ne vois pas le temps passer, assurai-je d'entrée.

– Papa et moi, on s'ennuie de toi. Et toi, tu ne t'ennuies pas un peu de nous? demanda-t-elle doucement.

– Si.

Je marquai un long silence. Ma mère reprit:

– Tu crois que Jean-Pierre serait prêt à venir passer quelques jours à la maison?

– Oui, dis-je, soudain joyeux, il me l'a dit. Il faudrait juste vous mettre d'accord entre adultes.

– On en reparlera, mon chéri. À demain.

– À demain, maman.

Vers vingt heures, j'enfilai une chemise propre pour aller à la messe. Il faisait un froid glacial dehors et à peine plus chaud à l'intérieur de l'église. Les gens chantaient beaucoup. J'avais du mal à suivre et je faisais surtout du play-back.

Une heure plus tard, ma grand-mère et moi étions sur le chemin de la gare avec nos sacs de vêtements et de victuailles. Ils étaient là, sous l'Abribus. Riton chantait fort, il hurlait presque. C'était effrayant. Yoyo était assis, les yeux mi-clos.

– Ah! hurla Riton, la fée de la Citrouille est revenue avec son petit lutin! Yoyo! Yoyo, réveille-toi, mon gros. Ils viennent nous souhaiter «Joyeux Noël» et peut-être nous apporter quelque chose.

– Bonsoir, dit calmement ma grand-mère, nous vous avons apporté des pulls et de quoi réveillonner.

– Merci, madame, dit Yoyo. Il avait de la chance de vous avoir. Pourquoi il n'est pas resté avec vous, la Citrouille?

Je regardai Riton, qui avait changé de tête. Soudain, il semblait très ému.

– Vous n'allez quand même pas dormir dans la rue par ce froid? s'inquiéta ma grand-mère.

– Non, madame. On va dormir au «Refuge», cette nuit. Le bus ne va pas tarder.

– On boira à votre santé, déclara gentiment Riton. Joyeux Noël, madame, et joyeux Noël, petit!

– Il y a aussi à manger, messieurs, corrigea ma grand-mère.

– Oui, oui, bien sûr, madame, assura Yoyo.

– Joyeux Noël, Riton! Joyeux Noël, Yoyo!

Comme nous nous éloignions, ma grand-mère me demanda:

– Tu connais leurs prénoms?

– Oui, je suis venu deux fois avec Jean-Pierre. Ils ne sont pas méchants.

– Tu m'as fait des cachotteries… Et ils t'ont parlé d'Armand?

– Pas vraiment. Yoyo m'a juste dit que c'était quelqu'un de bien, de très cultivé. Mais ça, je le savais déjà.

À vingt-trois heures seize, nous étions de retour. Avant de m'endormir, je lus un poème de Soupault sélectionné par mon oncle:

[...]
Ne pouvoir recommencer les commencements
Tendre les mains les bras les lèvres
et n'offrir que le néant
les mains vides les bras ouverts les lèvres ouvertes
et puis rien rien que rien
Pas la solitude mais l'absence

10

Le Père Noël remplace le facteur

Il avait été convenu que je recevrais mes cadeaux quand tout le monde serait arrivé, juste avant le déjeuner. J'allai discrètement lorgner les paquets posés au pied de la table du salon. Il restait trois heures avant l'heure H. Je m'attendais, comme chaque année, à une surprise venant de ma grand-mère, car elle refusait catégoriquement les listes de Noël. Malgré mes craintes, elle faisait presque toujours mouche. Soit elle avait des espions, soit elle était très douée. C'était peut-être un peu les deux.

À la fenêtre de la chambre, je regardais les passants qui circulaient en rangs serrés sur les trottoirs. Je remplissais mon cerveau de bruits, de visages, en prévision de mon retour prochain dans mon désert campagnard. Soudain, au bout de la rue, je vis apparaître la silhouette d'un homme qui marchait tout doucement, comme si chaque pas lui coûtait. Quand il leva la tête, je reconnus Yoyo. Où pouvait-il aller, si loin de son Abribus?

Je me penchai et l'appelai:

– Bonjour, Yoyo!

– Ah, tu es là! Tu peux descendre, Noé?

– Oui, bien sûr.

Je sautai dans mes baskets et dévalai les escaliers. Quand j'arrivai, il était assis sur un banc et faisait la grimace:

– Je ne marche jamais autant… Mais il fallait que je te voie.

Il avait un sac en plastique d'où il sortit un cahier d'écolier avec des feuilles qui dépassaient. Le tout était tenu par un large élastique noir.

– Tiens, c'est pour toi… Enfin, pour vous: toi et ta grand-mère. Il y a une lettre dedans, c'est son testament.

– Et dans le cahier?

– Des papiers. Je ne sais pas. J'avais promis de ne pas l'ouvrir. Tu verras, toi, et si tu veux, un jour, tu me raconteras.

– Merci. Vous ne voulez pas monter boire un café?

– Non, tu peux me laisser. Je vais me reposer un peu et puis je repartirai retrouver mes amis qui gardent mes affaires.

– Comme vous voulez. À la prochaine.

– C'est ça, à la prochaine.

Je remontai quatre à quatre et rejoignis ma grand-mère qui s'activait dans la cuisine.

– Mamie, on a reçu un paquet!

– Le jour de Noël? La poste ne fonctionne pas, mon grand. À moins que ce ne soit le Père Noël.

– C'était livré par Yoyo.

À ce nom, elle lâcha sa cuillère et fronça les sourcils:

– Tu l'as vu ce matin?

– À la seconde, sur le banc d'en bas. Regarde, si tu ne me crois pas!

– Je te crois, dit-elle en vérifiant tout de même par la fenêtre.

– Allons au salon regarder ce que c'est.

Je défis l'élastique et saisis une enveloppe de kraft sur laquelle mon oncle avait écrit :

«Testament d'Armand Petit.
À donner à ceux de ma famille
qui m'aiment encore un peu.»

J'en tirai bientôt une feuille arrachée d'un cahier et je lus à haute voix :

– «Un poète arabe du VIIIe siècle s'est vu séparé à jamais de son grand amour. Toute son œuvre est consacrée à cette douleur. À tel point qu'on ne le connaît aujourd'hui que sous le nom du "Fou de Layla". Je me sens proche de lui, jumeau par la souffrance. *En Layla, j'ai fait naufrage*, cette phrase qui commence son poème résume toute sa vie.

«Comme lui, je ne suis que souffrance. J'ai souffert et j'ai fait souffrir. C'est là ma vie.

«Aujourd'hui, ne pleurez pas ma mort. Je suis mort depuis longtemps déjà. Je n'ai rien construit ici-bas. Je ne lègue rien. J'espère juste que Jean a gardé mes livres et qu'ils ont fait germer dans son cœur, et dans celui de mes neveux, l'amour des mots. Les mots des poètes, eux, ne meurent jamais.

« Maman, ma dernière phrase est pour toi. Je t'ai toujours aimée et j'ai toujours su que tu m'aimais.

Armand »

Ma grand-mère me prit doucement la lettre des mains pour la relire toute seule. J'en profitai pour ouvrir le cahier. Sur la première page, Armand avait écrit :

« En Consuela, j'ai fait naufrage. »

Sur chacune des pages qui suivaient, d'une belle écriture penchée, sans ratures, je découvris des textes souvent très courts, avec une date ajoutée dans la marge. Ma grand-mère lisait par-dessus mon épaule.

– Que c'est beau ! Armand était un poète, déclarai-je.

– Mais personne ne le savait, ajouta mamie tristement.

Je lui serrai la main.

– On va leur montrer, nous, qu'Armand Petit, ton fils, c'était quelqu'un de bien.

Épilogue

Le dimanche, les adieux avec Jean-Pierre ne furent pas trop tristes. Nos parents s'étaient mis d'accord pour qu'il vienne une semaine chez nous pendant les vacances d'hiver.

Le lundi, j'ai tapé à l'ordinateur tous les textes du cahier d'Armand. J'y ai même trouvé un poème qui m'était dédié :

À Noé, à l'aube de sa longue traversée

J'ai promis d'envoyer mon travail à ma grand-mère, qui prendra le relais. Nous allons faire photocopier le manuscrit pour chaque membre de la famille. On a prévu une couverture bleue. On collera dessus la belle photo de Consuela et d'Armand en Colombie.

Ce matin, je suis de nouveau seul à la maison. Marc est parti chez un copain pour la journée. Mes parents sont au travail.

Assis à la table de la cuisine, je caresse le cadeau surprise de ma grand-mère. C'est un beau livre épais : une anthologie poétique. Je me décide. Je l'ouvre au hasard, tombe sur une poésie d'Anna de Noailles, *La Vie profonde*, et lis :

Être dans la nature ainsi qu'un arbre humain,
Étendre ses désirs comme un profond feuillage,
Et sentir, par la nuit paisible et par l'orage,
La sève universelle affluer dans ses mains !

Vivre, avoir les rayons du soleil sur la face,
Boire le sel ardent des embruns et des pleurs,
Et goûter chaudement la joie et la douleur
Qui font une buée humaine dans l'espace !
[...]

Référence des poésies

p. 13 :
Arthur Rimbaud (1854-1891), «Sensation», *in Poésies*.

p. 18 :
Jules Supervielle (1884-1960), «Les Amis inconnus», *in Les Amis inconnus*, © Gallimard.

p. 23 et p. 28 :
Boris Vian (1920-1959), «Un jour», *in Je voudrais pas crever*, © Jean-Jacques Pauvert.

p. 31 :
Jacques Prévert (1900-1977), «Les Belles Familles», *in Paroles*, © Gallimard.

p. 36 :
Paul Éluard (1895-1952), «L'Amoureuse», *in Capitale de la douleur*, © Gallimard.

p. 45 :
Léon-Paul Fargue (1876-1947), «Phases», *in Tancrède*, © Gallimard.

p. 50 :
Paul Verlaine (1844-1896), «Chanson d'automne», *in Poèmes saturniens*.

p. 52 :
Pierre Reverdy (1889-1960), «Dans le monde étranger»,
in Plupart du temps, © Gallimard.

p. 54 :
Paul Claudel (1868-1955), «Ah! le monde est si beau»,
in Cent Phrases pour éventail, © Gallimard.

p. 55 (premier extrait) :
Jules Supervielle (1884-1960), «Échanges», *in Gravitations*,
© Gallimard.

p. 55 (second extrait) :
Charles Ferdinand Ramuz (1878-1947), «Ce jour-là, quand
je t'ai vue», *in Le Petit Village*, © Mermod.

p. 65 :
Pierre de Brach (1547-vers 1605), «Les Amours d'Aymée».

p. 66 (premier extrait) :
Henri Pichette (1924-2000), «J'ai perdu le trésor de la
petite enfance», *in Poèmes offerts*, © Granit.

p. 66 (second extrait) et p. 69 :
René Char (1907-1988), «Évadné», *in Commune présence*,
© Gallimard.

p. 67 :
Henri Michaux (1899-1984), «La Nuit des embarras»,
in Lointain intérieur, © Gallimard.

p. 70 :
René Char (1907-1988), «L'Éternité à Lourmarin», *in Commune présence*, © Gallimard.

p. 76 :
Philippe Soupault (1897-1990), «Plus jamais», *in Poèmes retrouvés*, © Philippe Soupault.

p. 80 :
Qays ibn al-Moulawah (1ʳᵉ moitié du VIIIᵉ siècle), «En Layla, j'ai fait naufrage».

p. 84 :
Anna de Noailles (1876-1933), «La Vie profonde», *in Le Cœur innombrable*, © Grasset.

Du même auteur

Aux éditions Syros :

Jacquot et le grand-père indigne, « Tempo », 2007

Méto, tome 1 : « La Maison », hors-série, 2008

Méto, tome 2 : « L'Île », hors-série, 2009

Méto, tome 3 : « Le Monde », hors-série, 2010

Seuls dans la ville entre 9 h et 10 h 30, hors-série, 2011

L'école est finie, « Mini Syros », 2012

Nox, tome 1 : « Ici-bas », hors-série, 2012

Nox, tome 2 : « Ailleurs », hors-série, 2013

Des ados parfaits, « Mini Syros + Soon », 2014

Le Voyage dans le temps de la famille Boyau, hors-série, 2014

Celle qui sentait venir l'orage, hors-série, 2015

U4. Koridwen, hors-série, 2015

L'accident, « Mini Syros + Soon », 2016

Chez d'autres éditeurs :

Mon premier rôle, éditions Nathan, 2004

Comme les cinq doigts du pied, éditions Nathan, 2005

L'auteur

Yves Grevet est né en 1961 à Paris. Il est marié et père de trois enfants. Il habite dans la banlieue est de Paris, où il enseigne en classe de CM2. Les thèmes qui traversent ses ouvrages sont les liens familiaux, la solidarité, la résistance à l'oppression, l'apprentissage de la liberté et de l'autonomie. La trilogie *Méto*, qui l'a fait connaître, a été récompensée par 13 prix littéraires. Tout en restant fidèle à ses sujets de prédilection, Yves Grevet s'essaie à tous les genres. En 2015, il participe à une aventure littéraire passionnante : U4. Dans ce récit croisé coédité par Syros et Nathan Jeunesse, il signe l'un des quatre romans, *Koridwen*.

Dans la collection
tempo

Dans la collection
tempo+

Loi n° 49-956 du 16 juillet 1949
sur les publications destinées à la jeunesse,
modifiée par la loi n° 2011-525 du 17 mai 2011.

Mise en pages : DV Arts Graphiques à La Rochelle.
N° d'éditeur : 10231327 – Dépôt légal : octobre 2013
Achevé d'imprimer en janvier 2017
par Jouve (53000, Mayenne, France).
N° d'impression : 2469067V